le papillon

Textes de Dreaming Green et Yi Hee-jeong
Traduit du coréen par Lim Yeong-hee et Françoise Nagel
Conseiller scientifique : Choi Jae-cheon

MANGO *JEUNESSE*

Des papillons partout

Un joli papillon vole dans un champ. Il va de fleur en fleur
et se pose sur chacune d'elles. Les papillons font partie de la famille
des lépidoptères. On en compte 200 000 espèces à travers
le monde… sauf en Antarctique, où les fleurs se font rares !

Un petit papillon blanc s'est posé sur une fleur dans un champ.

Les papillons butinent de fleur en fleur pour aspirer le nectar sucré qu'elles contiennent.

Comme tous les papillons, la piéride du chou déroule sa trompe pour aspirer le nectar qui se trouve tout au fond des fleurs.

Un soufré a déroulé sa trompe pour aspirer le nectar d'une fleur.

Un *Papilio macilentus* s'est posé sur une jolie fleur.

Regardez-moi !

On admire les papillons pour leurs magnifiques ailes, mais ils ont beaucoup d'autres attributs !

Les ailes
Les papillons possèdent deux paires d'ailes couvertes d'écailles poudrées aussi douces que de la soie.

Le corps d'une chenille

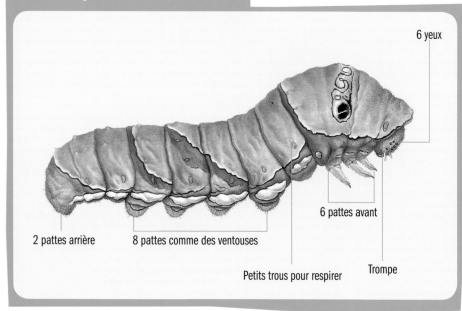

6 yeux

2 pattes arrière

8 pattes comme des ventouses

6 pattes avant

Petits trous pour respirer

Trompe

Les antennes
Elles lui permettent de détecter les odeurs.

Les yeux
Ses deux yeux sont composés d'environ 6 000 facettes.

La trompe
Lorsque le papillon ne s'en sert pas, il la garde enroulée.

DEVINETTE

Avec quelle partie de son corps le papillon détecte-t-il les odeurs ?

Les antennes.

9

Miam ! Miam ! Quel délice !

La plupart des papillons se nourrissent du nectar des fleurs, mais certains s'alimentent aussi de la sève des arbres et des excréments des animaux. Pour manger, ils doivent dérouler leur trompe et aspirer, comme avec une paille.

Chaque fois qu'un papillon aspire le nectar d'une fleur, il se retrouve couvert de pollen. Ensuite, il va de fleur en fleur et dépose le pollen sur leur pistil, ce qui leur permet de fabriquer des graines. C'est ainsi que se reproduisent les plantes : on appelle cela la pollinisation.

Un *Mycalesis francisca* suce la sève d'un arbre.

Ces *Mimathyma schrenckii* mangent des excréments d'animaux.

DEVINETTE

Que doit faire un papillon pour aspirer le nectar d'une fleur ?

Il doit dérouler sa trompe.

11

À la recherche de l'âme sœur

Par une chaude journée de printemps, le papillon mâle part
à la recherche de son âme sœur. Quand il a enfin trouvé la compagne
de ses rêves, il danse pour lui montrer son amour. S'ils se plaisent, les deux
papillons s'accouplent en unissant l'extrémité de leurs abdomens.
Quelque temps plus tard, la femelle pond de jolis œufs jaunes.

Un grand porte-queue mâle danse pour séduire sa femelle.

Deux papillons s'accouplent en s'unissant par l'extrémité de leur abdomen.

DEVINETTE

Quelle partie de leur corps les papillons unissent-ils pour s'accoupler ?

L'extrémité de leur abdomen.

La femelle grand porte-queue pond ses œufs, jaunes et ronds, dans un endroit sûr.

Pour finir, la chrysalide s'ouvre, et il en sort un magnifique grand porte-queue. Il déploie ses jolies ailes et s'envole dans le ciel.

ème
e.

07

La chenille passe du troisième au quatrième stade larvaire.

08

Au cinquième stade larvaire, la chenille s'installe sur une branche d'arbre.

09

Puis, la chenille abdomen sur ur avec un fil qu'e

Devenir un papillon

Quelque temps après la ponte, une chenille sort de l'œuf.
Dès qu'elle est à l'extérieur, elle mange la coquille.

01

L'œuf d'un grand porte-queue
est jaune et rond.

02

La chenille brise sa coquille
pour sortir.

03

On dit qu'une chenille qui vient de s
de son œuf est dans son premier st
larvaire.

La chenille se nourrit de feuilles pour grandir.
Au cours de sa croissance, elle effectue plusieurs mues.
Après avoir mué quatre fois, elle se transforme en chrysalide.

04

La chenille mange alors la coquille
de son œuf, qui est très nutritive.

05

En grandissant, la chenille effectue
sa première mue et se trouve dans
son deuxième stade larvaire.

06

La chenille passe du d
au troisième stade lar

Un grand porte-queue se repose sur une fleur.

EN SAVOIR PLUS

Quand une larve ou une chrysalide se transforme en insecte adulte avec des ailes, on parle de métamorphose. C'est ainsi que les chenilles deviennent de jolis papillons.

les pattes du papillon
premier.

13

Le papillon est presque sorti
de la chrysalide.

14

Le papillon est maintenant
complètement sorti de la chrysalide.

10

11

12

fixe l'extrémité de son
branche et s'attache
fait sortir de son corps.

La chenille se transforme en chrysalide.

Juste avant la métamorphose,
le papillon devient visible à l'intérieur
de la chrysalide.

La tête e
sortent e

Au secours, un ennemi !

Un papillon piégé dans une toile n'a aucun moyen de s'échapper et finira par se faire manger. Les papillons doivent être très prudents pour ne pas se faire attraper par leurs redoutables ennemis, tels que les araignées, les oiseaux ou les mantes religieuses.

Un papillon est pris au piège dans une toile.
Les araignées sont de terribles ennemies pour les papillons, car elles les mangent.

15

Après avoir séché ses ailes pendant environ une ou deux
heures, le papillon s'envole et va se poser sur une fleur.

Une mante religieuse a attrapé un papillon avec ses pattes avant. Les mantes religieuses, qui chassent également d'autres insectes, sont de grandes ennemies des papillons.

# Je sais me défendre

Les papillons se défendent contre leurs ennemis de plusieurs manières. La chenille du grand porte-queue les menace en leur montrant ses cornes. La chenille de la piéride du chou se mêle aux feuilles de chou pour se rendre invisible. Les papillons dont les ailes ressemblent à des feuilles se cachent au milieu des arbres.

Quand un prédateur surgit, la chenille du grand porte-queue le menace de ses cornes qui sentent très fort.

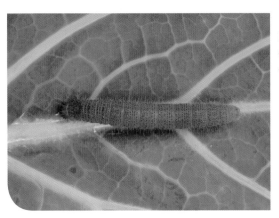

La chenille de la piéride du chou est verte comme les feuilles de chou. Grâce à cela, elle peut se cacher de ses ennemis.

EN SAVOIR PLUS

Les prédateurs naturels sont des ennemis qui mangent d'autres animaux. Parmi ceux des papillons, on trouve notamment les oiseaux, les mantes religieuses et les araignées.

Avec leurs ailes repliées, les papillons-feuilles ressemblent à des feuilles mortes. Comme cela, les prédateurs ne les remarquent pas.

Les dessins sur les ailes de certains papillons ressemblent à des yeux d'oiseau.
On les appelle les ocelles. En les voyant, leurs prédateurs naturels prennent peur et s'enfuient.

Quand un insecte ou un animal comme le caméléon change de couleur pour se fondre dans son environnement et se protéger de ses ennemis, on parle de « mimétisme ».

En route pour un long voyage

La plupart des papillons vivent toute leur vie près des buissons où ils sont nés, mais certains voyagent très loin.

Les belles-dames vivent dans le monde entier, sauf en Antarctique. En Europe, elles voyagent en groupe. Il y en a même qui vont de la Méditerranée jusqu'au nord de la Scandinavie.

En Asie, les papillons monarques parcourent deux fois par an plusieurs milliers de kilomètres. On suppose que s'ils voyagent si loin, c'est pour se reproduire, mais la raison exacte demeure inconnue.

En hiver, les monarques entreprennent un long voyage. Ils quittent le Canada ou l'est des États-Unis et volent jusqu'au Mexique, à des milliers de kilomètres de là.

L'hiver n'est pas un problème !

Un vent glacial souffle. Les papillons peuvent passer l'hiver sous différentes formes : œuf, chenille, chrysalide ou papillon adulte. Ils ont hâte de retrouver leurs amis au printemps.

Les belles-dames passent l'hiver sous leur forme adulte.

Le *Sasakia charonda* passe l'hiver à l'état de chenille, sous un tas de feuilles mortes.

Le grand porte-queue passe l'hiver à l'état de chrysalide.

EN SAVOIR PLUS

L'azuré des coronilles passe l'hiver à l'état d'œuf, la piéride du chou à l'état de chrysalide et l'échancré sous forme de papillon adulte.

Une grande famille

Les papillons sont très différents les uns des autres.
Pourtant, ils font tous partie de la même famille.
Regardons à quoi ressemblent certaines espèces !

La queue des ailes du *Papilio macilentus* est très longue.

Le papillon miroir a de nombreuses taches argentées sous les ailes arrière. Il vit en Corée, en Chine et en Europe, dans les prairies et les bois.

Le mâle thècle du prunier est marron, plus foncé que la femelle. Il vole lentement. On le trouve à l'orée des forêts. Il porte ce nom car sa larve se développe dans les prunelliers.

Les ailes de l'apollon sont moins couvertes d'écailles que celles des autres papillons. Elles sont blanches et translucides. Il vit dans les montagnes d'Europe et d'Asie.

La chenille de la piéride du chou est nuisible aux légumes, comme les choux ou les radis.

Le fadet des laîches a des yeux dessinés sur ses ailes. On le trouve principalement dans les prairies marécageuses.

déployées, l'*Ornithoptera alexandrae*,
eine Alexandra, mesure environ
vit en Papouasie-Nouvelle-Guinée
: friand d'hibiscus.

15   20   25   cm

LE PLUS PETIT

Quand il a les ailes déployées,
le *Zizula hylax* mesure environ
1,3 cm. Il vit en Inde.

Quand il a les ailes
ou papillon de la
28 centimètres. Il
et est particulièreme

1,3   5   10

Le papillon commun d'Asie a le dessus des ailes bosselé. Il vit en Corée, au Japon et en Chine.

Le soufré a des ailes jaunes, mais la femelle est en général blanche. Il vit dans les prairies fleuries.

Le *Pseudozizeeria maha* a les ailes couvertes de petites taches.

LE CONSEILLER SCIENTIFIQUE

Choi Jae-cheon a étudié la zoologie à l'université de Séoul. Il a obtenu une maîtrise en écologie
à l'université de Pennsylvanie et un doctorat en biologie à Harvard, avant de devenir professeur en
Sciences de la vie à l'université de Séoul. Actuellement, il enseigne pour le département des Sciences
de l'environnement à l'université Ewha et travaille au Centre des changements climatiques. En 2000,
il a reçu un prix scientifique et, en 2004, une décoration pour sa contribution au développement de la
technologie scientifique en Corée. En 2007, un de ses articles a été couronné par la Société écologique
du Japon. Choi Jae-cheon a aussi publié de nombreux ouvrages, notamment sur les fourmis et la santé.

LES AUTEURS

Dreaming Green est une association d'éditeurs spécialisés dans les ouvrages scientifiques. Depuis longtemps,
elle s'intéresse à l'écologie et a publié de nombreux livres sur les sciences de la nature et de l'environnement.

Yi Hee-jeong a étudié la littérature coréenne à l'université de Hansin et créé des émissions destinées
aux enfants pour une chaîne de télévision pédagogique. Elle écrit actuellement des livres pour la jeunesse.

LES ILLUSTRATEURS

Kim Yun-hee, Hong Seong-ji, An Wu-jeong

CRÉDIT PHOTOGRAPHIQUE

GettyImagesKorea : couverture (Kim Taylor), 2, 30-31 (Jozsef Szentpeteri), 23 (Richard Ellis) –
Jung Hwa Suh : 3, 9 b, 14 int., 14-15 ext. et n°02-14, 17 b, 18 b, 27 bg – Soo Yeon Choi :
4-5, 10, 15 rabat, 26 hd – Eurocreon : 6 (Animals Animals), 9 m (Robert Pickett), 9 h, 13 h
(Won Kyu Lee), 19, 27 int. (Alamy), 22 h (Hans Christoph Kappel) – Jung Min Park : 7, 8, 17 h,
28 b – Seung Soo Lim : 11 h, 26 g et bd, 28 h – Hai Young Oh : 11 b, 12, 14-n°01, 18 h, 25 h,
27 hg et bd – Jong Ki Kim : 13 b – Simong : 15-n°15 – Topic Images Inc. : 16, 20-21 (Darrell
Gulin), 22 b (Photolibrary) – Timespace Inc./Jung Gun Lee : 24 – Soo Young Lee : 25b

Dans la même collection